Il n'est jamais trop tard...

Patrick Lindsay

Il n'est jamais trop tard...

MARABOUT

Publié pour la première fois en anglais (Australie)
par Hardie Grant Books sous le titre *It's Never Too Late*
Texte © Patrick Lindsay 2009

© Hachette Livre (Marabout) 2011 pour la traduction
et l'adaptation françaises

Traduction : Xavier Blandin
Coordination éditoriale : Élisabeth Boyer
Correction : Véronique Dussidour

Pour Hachette Livre, le principe est d'utiliser des papiers composés
de fibres naturelles, renouvelables, recyclables et fabriquées à partir
de bois issus de forêts qui adoptent un système d'aménagement
durable. En outre, Hachette Livre attend de ses fournisseurs de
papier qu'ils s'inscrivent dans une démarche de certification
environnementale reconnue.

Achevé d'imprimer en mars 2011
sur les presses d'Unigraf en Espagne

40.5974.7
dépôt légal mai 2011
ISBN : 978-2-501-07269-4

Il n'est jamais trop tard pour...

penser à demain

Quand on prépare l'avenir, on échappe à la routine.
Faire des projets, c'est avoir des espoirs pour l'avenir.
De petits projets pour commencer,
avec des buts réalisables.
Et puis on gagne en confiance :
on peut alors voir plus grand, viser plus haut.
Gardons toujours un projet pour demain.

Choisir la vie, c'est toujours choisir l'avenir.

Simone de Beauvoir

Il n'est jamais trop tard pour...

demander pardon

Ça demande du courage,
mais ça vaut bien tous nos efforts.
On en sort libéré,
et l'autre s'en trouve plus riche.
Pour tous les deux, c'est un nouveau départ.

Vois ce qui est juste.
Ne pas le faire, c'est manquer de courage.

Confucius

Il n'est jamais trop tard pour...

avoir une enfance heureuse

Tirez un trait sur le passé.
Acceptez-le comme une leçon pour l'avenir
et félicitez-vous d'avoir survécu.
Faites-en une force.
Vous pouvez sourire à l'avenir.

Le malheur est le père du bonheur de demain.

Albert Cohen

Il n'est jamais trop tard pour...

profiter de la vie

Ralentissez
et prenez le temps de regarder autour de vous.
Sentez les battements de votre cœur.
Trouvez ce qui vous plaît le plus,
demandez-vous qu'elles sont les personnes
que vous aimez le plus,
et prenez soin d'elles.

On ne voit bien qu'avec le cœur.
L'essentiel est invisible pour les yeux.

Saint-Exupéry

Il n'est jamais trop tard pour...

prendre un nouveau départ

Observez la nature :
rien n'y est immuable.
Faites du changement un allié.
Gardez près de vous ce qui vous est cher,
laissez tomber ce qui ne compte pas.
Comme un champion qui sait s'adapter,
changez le cours d'une partie mal engagée.
Partez sur de nouvelles bases.

Il n'y a d'homme plus complet que celui qui a beaucoup voyagé,
qui a changé vingt fois la forme de sa pensée et de sa vie.

Lamartine

Il n'est jamais trop tard pour...

perdre du poids

Commencez par décider de passer à l'action.
Fixez-vous des buts – petits, moyens et grands –
et ne vous précipitez pas.
La patience est essentielle.
Sachez reconnaître vos succès,
même les plus petits.
Félicitez-vous pour vos réussites,
et pardonnez vos faux pas.
Prenez du recul, pensez sur la durée.
Surtout, soyez persévérant.

Chacun vaut ce que valent les buts de son effort.

Marc Aurèle

Il n'est jamais trop tard pour...

retrouver la forme

Pensez à vous comme à un « athlète du quotidien ».
Commencez lentement... mais commencez.
Définissez des objectifs qui vous conviennent *à vous*.
Soyez réaliste : souvenez-vous que vous n'avez pas
perdu votre forme en deux jours.
Courez sur cent mètres, puis marchez cent mètres.
Faites une longueur à la nage, puis laissez-vous flotter.
Augmentez l'effort par palier, sans brûler les étapes.
Soyez fier de vos progrès,
et n'ayez pas peur de demander de l'aide.

Le succès, c'est d'aller d'échec en échec sans perdre
son enthousiasme.

Churchill

Il n'est jamais trop tard pour...

tomber amoureux

Ouvrez votre cœur...
Ce n'est pas facile, mais c'est essentiel :
comment l'amour peut-il entrer
si votre cœur est fermé ?
Tournez-vous vers l'avenir, pas vers le passé.
L'amour vous attend,
ne le pourchassez pas.
Soyez vous-même,
restez ouvert à tous les possibles.
L'amour saura vous trouver.

La sagesse n'est pas dans la raison, mais dans l'amour.

Gide

Il n'est jamais trop tard pour...

apprendre à peindre

Accordez-vous cette chance.
Sans vous juger, sans vous comparer aux autres.
Faites confiance à votre créativité.
Les enfants peignent sans arrière-pensées.
Laissez vos yeux retrouver leur innocence.
Regardez le monde, admirez ses couleurs.
Prenez un pinceau et lancez-vous.

Tout l'intérêt de l'art se trouve dans le commencement.

Picasso

Il n'est jamais trop tard pour...

jouer au golf

Le golf est un défi physique et mental.
Il ressemble à la vie : il n'est pas juste,
et on ne maîtrise jamais tout.
Mais c'est là ce qui nous séduit...
Chaque parcours est une aventure
qui met à l'épreuve votre adresse et votre patience.
Mais ne soyez pas trop impatient :
peu de golfeurs sont nés champions...
Prenez des cours pour ne pas répéter vos erreurs.
Un coup bien joué vous remettra dans la partie.
C'est un jeu que vous pourrez pratiquer toute votre vie.

Le golf est une affaire de cœur.
Si vous ne le prenez pas au sérieux, il ne sera pas amusant.

Arthur Daley

Il n'est jamais trop tard pour...

se faire un vrai ami

Votre mère avait raison :
celui qui peut compter ses amis sur les doigts
d'une main a bien de la chance.
C'est à nos amis que l'on doit
certains de nos meilleurs souvenirs.
La vraie joie de l'amitié, c'est le don –
pour vous faire un ami, donnez-lui votre amitié.
C'est un don réciproque.
Alors chérissez vos amis.

Toutes les grandeurs de ce monde ne valent pas un bon ami.

Voltaire

Il n'est jamais trop tard pour...

écrire un poème

La poésie réside en chacun de nous.
Elle est tout ce qui s'écrit avec le cœur.
Elle peut guérir nos blessures,
dire notre amour... et aussi nos peines.
Un poème est un cadeau merveilleux.
Aménagez-vous un moment de solitude,
écoutez votre cœur,
et couchez sur le papier vos sentiments.
Laissez les mots couler,
ils vous surprendront.

Les mots, il suffit qu'on les aime
Pour écrire un poème.

Raymond Queneau

Il n'est jamais trop tard pour...

trouver l'âme sœur

Pour trouver une âme qui s'ouvre à votre âme,
il faut ouvrir votre âme aux autres.
Les âmes sœurs se rencontrent naturellement,
mais il faut rester à l'écoute.
C'est une relation tendre et gratifiante,
une rencontre spirituelle.
On ne peut ni la forcer, ni l'inventer.
On ne la trouve qu'à l'extérieur,
pas en se fermant sur soi.

Deux êtres qui s'aiment
se rencontrent toujours.

Proverbe danois

Il n'est jamais trop tard pour...

changer de métier

Ce n'est pas votre métier qui vous définit.
Votre travail n'est pas votre vie,
ce n'est que votre travail.
Vous pouvez toujours élargir votre horizon,
et même changer de direction.
Restez positif.
Fixez-vous un défi professionnel
qui vous inspire.
Explorez-le.
Et poursuivez-le avec passion.

La vie n'est pas le travail :
travailler sans cesse rend fou.

De Gaulle

Il n'est jamais trop tard pour...

courir un marathon

Un marathon, c'est bien plus qu'une course :
c'est un formidable défi à soi-même,
tout aussi physique que mental.
Apprenez en vous entraînant.
Préparez-vous par étape, un pas après l'autre,
et prenez soin de votre tête autant que de vos jambes.
Surtout, croyez en vous.
Engagez-vous à aller jusqu'au bout.
Et tenez votre promesse.

Ce qui compte dans l'effort, c'est avant tout l'action,
plutôt que le résultat.

Beethoven

Il n'est jamais trop tard pour...

écouter son cœur

Notre monde est bruyant, brusque et tumultueux.
Et on a tous besoin de prendre du temps pour soi,
pour regarder ce qui nous entoure
et écouter notre cœur.
Notre cœur sait des choses
que notre esprit ne comprend pas.
Ménagez-vous un moment pour vous.
Oubliez votre quotidien,
ouvrez-vous à votre cœur et écoutez-le.

Le cœur du fou est dans sa bouche,
mais la bouche du sage se trouve dans son cœur.

Benjamin Franklin

Il n'est jamais trop tard pour...

voyager

Pour changer le décor de votre vie,
pas besoin de partir très loin.
Tout voyage est une aventure,
l'occasion de se ressourcer, d'apprendre, de comparer.
Une opportunité pour des rencontres,
de nouvelles amitiés, un nouveau regard.
C'est l'occasion de grandir.

Heureux qui, comme Ulysse, a fait un beau voyage.

Du Bellay

Il n'est jamais trop tard pour...

planter un arbre

Dites-vous que vous rendez quelque chose à la terre
quand, le plus souvent, nous lui prenons tout.
Rétablissez l'équilibre :
plantez une nouvelle vie et prenez-en soin.
Réjouissez-vous en la regardant grandir.
Quand vous aurez planté un premier arbre,
vous aurez envie de recommencer.
Alors faites-le et occupez-vous d'eux.
Encouragez vos amis à faire de même.

Le plus grand arbre est né d'une graine menue.

Lao Tseu

Il n'est jamais trop tard pour...

danser

Danser est une ode à la vie,
à la liberté, à la joie.
Laissez parler vos émotions.
Dansez pour ceux que vous aimez
et dansez pour vous-même.
Sentez-vous libre
et profitez de cet instant.

Il faut avoir une musique en soi pour faire danser le monde.

Nietzsche

Il n'est jamais trop tard pour...

pardonner

Pardonner nous libère.
Tant que nous ne pardonnons pas,
nous sommes emprisonnés.
Mais quand nous pardonnons,
nous pouvons nous tourner vers l'avenir.
Le pardon nous rend plus fort,
nous emplit d'une énergie positive.
Le futur s'offre à nous.

Le faible ne peut jamais pardonner.
Pardonner est l'attribut des forts.

Gandhi

Il n'est jamais trop tard pour...

écouter les oiseaux

Ils renforcent notre lien avec la nature.
Prenez le temps de les observer :
voyez comme ils arrivent à survivre dans notre monde,
et avec quelle joie et quelle énergie !
Leurs mélodies mettent nos vies en musique.
Écoutez-les chanter.

Au plus fort de l'orage,
il y a toujours un oiseau pour nous rassurer.

René Char

Il n'est jamais trop tard pour...

rire de soi

La vie est trop courte pour se prendre au sérieux.
C'est facile de rire des autres,
bien plus difficile de rire de soi.
Mais c'est tellement plus enrichissant...
Un tel rire allège notre vie,
et embellit celle des autres.
Il nous donne confiance en nous,
et qui fait que les autres
nous apprécient plus encore.

L'avantage d'être intelligent, c'est qu'on peut toujours faire l'imbécile,
alors que l'inverse est impossible.

Woody Allen

Il n'est jamais trop tard pour...

sourire

Un sourire sollicite si peu de muscles,
demande si peu d'efforts,
et donne de si grands résultats !
Sourire nous ravive,
et illumine ceux qui sont autour de nous.
Un sourire est toujours désarmant,
et toujours charmant.

Un sourire coûte moins cher que l'électricité,
mais donne autant de lumière.

Abbé Pierre

Il n'est jamais trop tard pour...

dire la vérité

Les mensonges sont des fardeaux.
On s'en encombre, on s'y embourbe.
La vérité lutte toujours pour se libérer,
et finit souvent par se montrer malgré tout.
Cela ne vaut pas le coup d'essayer de la cacher.
Dire la vérité remet les choses en place,
soulage nos épaules d'un poids mort,
et nous libère.

Si vite que coure le mensonge,
la vérité un jour le rejoint.

Jacob Cats

Il n'est jamais trop tard pour...

regarder les étoiles

Elles sont pleines de promesses.
Elles nous révèlent une perspective nouvelle.
On les regarde,
on rêve, on espère.
On s'émerveille
de leurs possibilités infinies.

L'espoir est comme le ciel des nuits : il n'est pas coin si sombre
où l'œil qui s'obstine ne finisse par découvrir une étoile.

Octave Feuillet

Il n'est jamais trop tard pour...

travailler pour soi

On en a tous le potentiel.
On a juste besoin de courage, de détermination,
et du savoir-faire qui fera nos succès.
Apprenez à fond votre activité
et sachez mesurer les risques.
Planifiez bien votre projet.
Faites preuve de persévérance
et gardez votre calme.

N'essayez pas de devenir un homme qui a du succès.
Essayez de devenir un homme qui a de la valeur.

Einstein

Il n'est jamais trop tard pour...

aider quelqu'un

C'est de la joie pour vous et pour l'autre.
Vous y gagnerez en bonté,
et l'autre recevra espoir et confiance.
Le plus souvent, l'aide marche dans les deux sens.
Et elle donne à nos vies des horizons nouveaux.

Personne ne se lasse d'être aidé. L'aide est un acte conforme
à la nature. Ne te lasse jamais d'en recevoir ni d'en apporter.

Marc Aurèle

Il n'est jamais trop tard pour...

défendre son opinion

Il faut savoir parfois affirmer son opinion,
parce que l'on sait que c'est un choix juste,
et parce que c'est une question d'estime de soi.
Votre cœur vous dira
quand le moment sera venu.
Alors, écoutez-le,
puis allez au combat.
Vous vous respecterez davantage
et vous gagnerez le respect des autres.

Il faut savoir ce que l'on veut. Quand on le sait, il faut avoir le courage
de le dire ; quand on le dit, il faut avoir le courage de le faire.

Clemenceau

Il n'est jamais trop tard pour...

accepter d'être heureux

Acceptez d'être triste si vous avez de la peine,
laissez vos larmes couler quand elles le doivent.
Mais ne vous complaisez pas dans votre chagrin.
Prenez en main votre bonheur.
On a tous le droit d'être heureux.
Tournez-vous vers la lumière
plutôt que vers la noirceur.
Cultivez votre bonheur,
et partagez-le.

Manifester son bonheur est un devoir ; être ouvertement heureux
donne aux autres la preuve que le bonheur est possible.

Albert Jacquard

Il n'est jamais trop tard pour...

renverser le cours des choses

On se trouve tous un jour ou l'autre dans une impasse.
Le premier pas, c'est de le reconnaître.
Mais il faut ensuite refuser de croire à la fatalité.
Mettez de la variété dans votre vie.
Explorez des choses nouvelles,
fixez-vous de nouveaux buts,
adoptez une approche différente.
Si vous pensez pouvoir faire quelque chose,
c'est que vous pouvez le faire.
Gardez un esprit positif.

Il n'y a d'homme plus complet
que celui qui a changé vingt fois le cours de sa vie.

Lamartine

Il n'est jamais trop tard pour...

admirer un coucher de soleil

C'est l'un des plus beaux spectacles de la nature.
Aucun peintre ne saura jamais capturer son aura,
aucune photographie ne saura reproduire sa splendeur.
Offrez-vous ce spectacle quand vous êtes seul,
ou avec un être cher.
Enivrez-vous.
Sentez-vous humble, mais vivant
Soyez inspiré par cette splendeur.

Le soleil couchant est un artiste de génie.

Dominique Rollin

Il n'est jamais trop tard pour...

câliner ceux que l'on aime

Si l'on se prive du contact de ceux qui nous sont chers,
notre existence est bien vide.
Les câlins sont des gestes d'amour.
Toucher, c'est partager notre chaleur,
dire nos espoirs, donner notre confiance.
Les sentiments s'échangent.
Un geste tendre peut illuminer une journée,
et même sauver une vie.
Serrez contre vous ceux que vous aimez,
sans modération.

Les seuls beaux yeux sont ceux qui vous regardent
avec tendresse.

Coco Chanel

Il n'est jamais trop tard pour...

apprendre à ralentir

Le monde change sans cesse autour de nous
et nous sommes submergés de décisions à prendre
tout de suite, de réponses automatiques.
Ralentissez.
Donnez-vous le temps de la réflexion,
le temps de démêler les questions complexes,
le temps d'évaluer les réactions des autres.
La patience nous rend plus sereins,
et nous aide à trouver des solutions nouvelles.

Tout vient à point à qui sait attendre.

La Fontaine

Il n'est jamais trop tard pour...

dire je t'aime

Trois mots qui ont l'air si faciles à dire...
Et c'est vrai qu'ils le sont.
Une phrase toute simple,
mais qui compte tellement
pour l'être aimé,
la famille,
les amis.
C'est un cadeau précieux.
Dites-le souvent,
ne soyez pas avare de ces trois petits mots,
et, surtout, soyez sincère.

On ne récolte jamais que les sentiments que l'on sème.

Charles Aznavour

Il n'est jamais trop tard pour...

entrer dans une église

Peu importe laquelle.
Pas besoin d'être pratiquant.
Laissez-vous simplement envahir
par la tranquillité des lieux.
Pendant quelques instants, oubliez le monde extérieur,
et portez votre attention sur votre spiritualité.
Pensez à ceux que vous aimez, pensez à votre vie.
Méditez.
Laissez-vous surprendre.

La véritable église est celle qui est construite
au fond de l'âme.

Proverbe arabe

Il n'est jamais trop tard pour...

se connaître

On croit tous se connaître.
On sait sur soi des choses que personne d'autre ne sait.
Mais est-on complètement honnête ?
On ne se connaît bien qu'en faisant preuve de sagesse
et en acceptant ses défauts.
Mieux se connaître, c'est être plus libre.

Connaître les autres, c'est sagesse.
Se connaître soi, c'est sagesse supérieure.

Lao Tseu

Il n'est jamais trop tard pour...

jouer au cerf-volant

Laissez-vous emporter par la liberté.
Retrouvez l'enfant que vous avez été.
Jouez avec le vent,
abandonnez-vous à son rythme.
Laissez-vous prendre dans son flot léger,
sentez sa puissance vous porter.

Tout le monde court après sa jeunesse. À douze ans, on court après
un cerf-volant. Puis on court après son âme d'enfant.

Francis Blanche

Il n'est jamais trop tard pour...

faire une grande randonnée

Au propre comme au figuré,
chacun de nous trace son itinéraire.
C'est un défi au corps
et, plus encore, à l'esprit.
La marche nous force à nous dépasser.
La rigueur de l'effort
nous rappelle ce qui compte vraiment.
Elle nous rend plus forts,
plus humbles, plus ouverts.
Elle nous apprend à croire en nous.

La marche a quelque chose qui anime et avive mes idées.

Jean-Jacques Rousseau

Il n'est jamais trop tard pour...

écouter

Prenez le temps de vous taire,
même quand vous avez quelque chose à démontrer,
même lorsque vous êtes irrité ou contrarié.
Écoutez la personne qui vous parle,
et le monde qui vous entoure.
Prêtez l'oreille à votre cœur,
à ceux qui vous aiment.
Sachez accueillir leurs paroles,
et aussi ce que leurs mots ne disent pas.

Le commencement de bien vivre, c'est de bien écouter.

Plutarque

Il n'est jamais trop tard pour...

écrire une lettre d'amour

Une lettre à la personne que vous aimez,
à un enfant, un parent, un ami.
Parlez-leur de votre amour,
de ce qui le rend unique.
C'est un geste qui les touchera.
Laissez votre plume écrire votre affection,
comme un autographe de vos sentiments,
un cadeau fait main dans un monde cybernétique,
un objet à chérir longtemps.

Écrire est un acte d'amour.
S'il ne l'est pas, il n'est qu'écriture.

Jean Cocteau

Il n'est jamais trop tard pour...

avoir un animal de compagnie

Avoir un animal nous rend plus sensibles,
plus affectueux, plus humains.
Notre existence s'en trouve vivifiée,
notre regard s'élargit.
On y gagne tant de joies,
un amour sans réserve,
et tellement de chaleur...

Regarde ton chien dans les yeux
et tu ne pourras pas affirmer qu'il n'a pas d'âme.

Victor Hugo

Il n'est jamais trop tard pour...

se détendre

Prenez le temps de faire des pauses.
Oubliez le café, laissez les cigarettes.
Ne prenez pas votre déjeuner au bureau,
mais allez vous promener,
dans un jardin, une librairie.
Allez ne rien faire à la bibliothèque,
allez faire quelques longueurs à la piscine,
ou sortez vos tennis et courez.
Allez rire avec vos amis.
Brisez le cycle sans fin de vos journées.

Tout le malheur des hommes vient d'une seule chose,
qui est de ne savoir pas demeurer en repos.

Pascal

Il n'est jamais trop tard pour...

devenir un supporter

Laissez-vous prendre au jeu.
Trouvez un sport que vous aimez,
et une équipe qui vous inspire par ses succès
ou qui vous touche par ses défaites.
Suivez ses aventures,
les bonnes comme les mauvaises.
Partagez ses ambitions,
offrez-lui en retour vos bravos.
Ses hauts et ses bas sont un périple unique.
Il ne tient qu'à vous de vous laisser embarquer.

Le sport va chercher la peur pour la dominer,
la fatigue pour en triompher, la difficulté pour la vaincre.

Pierre de Coubertin

Il n'est jamais trop tard pour...

se séparer du troupeau

C'est un geste qui demande
du courage et de la détermination.
L'occasion pour vous de suivre vos envies,
de lever les yeux et de choisir votre cap.
On vous blâmera sans doute, on vous traitera mal,
mais on vous admirera aussi.
Surtout, vous conforterez
l'estime que vous vous portez.
Marchez du pas qui est vraiment le vôtre,
celui de la personne unique que vous êtes.

Personne ne peut échapper à son individualité.

Schopenhauer

Il n'est jamais trop tard pour...

apprendre à cuisiner

Découvrez des mondes inexplorés,
des sensations nouvelles, des cultures inconnues.
Donnez-vous les moyens de bien recevoir.
Apprenez des recettes inédites,
aussi uniques que vos amis.
Laissez parler votre imagination,
et inventez vos propres plats.
Devenez un explorateur
de mondes culinaires.

Dis-moi ce que tu manges, je te dirai ce que tu es.

Brillat-Savarin

faire face à ses peurs

Tant que vous n'essayez pas, vous restez enfermé.
Ne sous-estimez pas votre courage.
Adoptez une approche positive et procédez par étape.
Nos peurs sont souvent vieilles et n'ont plus lieu d'être.
Parfois aussi, elles sont nées d'une incompréhension.
Sortir de la peur, c'est briser des chaînes inutiles.
Regardez vos peurs droit dans les yeux,
et faites-vous une entière confiance.

Le véritable courage consiste à être courageux
précisément quand on ne l'est pas.

Jules Renard

Il n'est jamais trop tard pour...

faire des choix

Ne passez pas votre vie à peser le pour et le contre.
Fiez-vous à votre expérience et à votre discernement.
Apprenez à comprendre vos réactions instinctives.
Vous ferez sans doute des erreurs, ne les redoutez pas.
Vos choix seront plus souvent bons que mauvais,
mais acceptez de vous tromper de temps en temps,
Les erreurs nous apportent toujours quelque chose,
et on leur doit souvent beaucoup.

Ce sont nos choix qui montrent ce que nous sommes vraiment,
beaucoup plus que nos aptitudes.

J. K. Rowling

Il n'est jamais trop tard pour...

stopper le mouvement

On a besoin de temps pour réfléchir,
pour souffler, pour délibérer dans le calme,
pour prendre du recul et trouver du sens.
Personne ne peut faire tout cela
en fonçant tête baissée.
Prenez du temps pour tout arrêter.
Marchez. Pensez. Priez. Méditez.
Réfléchissez profondément.
Et tout de suite après,
avec une passion renouvelée,
vivez votre vie !

La pause elle aussi fait partie de la musique.

Stefan Zweig

Il n'est jamais trop tard pour...

apprécier la pluie

Écoutez-la quand elle bat et claque,
regardez ses gouttes frapper les arbres, les fleurs.
Respirez la pluie fraîche et purifiante.
Ne lui résistez pas,
laissez-la toucher votre visage,
sentez-la sur vos mains.
Les flaques se forment,
l'air est comme renouvelé.
La pluie coule aussi sur votre esprit
et lui apporte le calme.
Admirez comment la nature revit après la pluie.

Il y a des pluies de printemps délicieuses
où le ciel a l'air de pleurer de joie.

Paul-Jean Toulet

Il n'est jamais trop tard pour...

être soi

Nous sommes tous semblables,
mais pas tous les mêmes.
Chacun de nous est unique.
Le monde voudrait nous classer,
nous mettre dans des catégories.
C'est plus facile pour les hommes politiques,
les publicitaires, les producteurs de télé...
Mais pas pour nous.
Revendiquez votre droit à être vous.

Il y a peu de différence entre un homme et un autre,
mais c'est cette différence qui est tout.

William James

Il n'est jamais trop tard pour...

s'occuper de ses affaires

Accordez aux autres leur espace personnel
et ne vous immiscez pas dans leurs affaires.
Tournez votre curiosité vers des buts positifs.
Ceux qui veulent vous ouvrir leur jardin secret
le feront d'eux-mêmes.
Il n'est pas nécessaire de tout savoir de l'autre
et tout ce que l'on en dit n'est pas forcément vrai.
Respectez l'espace privé des autres
comme vous souhaitez qu'on respecte le vôtre.

Être libre, ce n'est pas seulement se débarrasser de ses chaînes ;
c'est vivre d'une façon qui respecte et renforce la liberté des autres.

Nelson Mandela

Il n'est jamais trop tard pour...

demander de l'aide

Quand vous avez vraiment besoin d'aide,
n'hésitez pas à en demander.
Ne vous laissez pas guider par une fierté mal placée.
Aider fait honneur à celui qui aide
et crée un lien nouveau.
Vous pourrez un jour aider l'autre à votre tour.
C'est ainsi que se créent les amitiés solides,
et c'est de ces échanges qu'elles se nourrissent.

Il se faut entraider,
c'est la loi de la nature.

La Fontaine

Il n'est jamais trop tard pour...

défendre ses convictions

N'oubliez jamais ce en quoi vous croyez,
ce que vous savez être juste.
Si certains doutent de vous, vous tournent le dos
ou contestent vos idées,
faites-en un levier pour vous motiver encore plus.
Utilisez cette force de manière constructive.
Gagnez le respect des autres
et confirmez l'estime que vous avez pour vous-même
en n'abandonnant pas vos convictions.

Ne sacrifiez jamais vos convictions politiques
pour être dans l'air du temps.

John F. Kennedy

Il n'est jamais trop tard pour...

cesser de se faire du souci

Sachez faire la distinction
entre la réalité des faits et vos inquiétudes.
Cherchez comment vous pouvez réagir et faites-le.
Et si vous ne pouvez rien faire, dites-vous que vous
tourmenter ne fera pas avancer les choses...
Laissez le temps agir, des choix nouveaux apparaîtront.
Quand on arrête de s'inquiéter, on pense mieux.
Beaucoup de problèmes disparaissent
quand on cesse de se focaliser dessus
et qu'on reste ouvert à d'autres voies possibles.

Le sage est calme et serein. L'homme de peu
est toujours accablé de soucis.

Confucius

Il n'est jamais trop tard pour...

être bienveillant

Beaucoup de gens ont une vie agitée et sans répit,
et passent à côté des plus belles choses.
Choisissez une voie plus douce,
où vous prenez le temps de parler aux autres.
Soyez curieux de leur vie et de leurs proches.
Vous y trouverez de nouveaux espaces
et une vie pleine de compassion.
Acceptez leur bienveillance,
et offrez-leur la vôtre en retour.

La véritable politesse consiste à marquer
de la bienveillance aux hommes.

Jean-Jacques Rousseau

Il n'est jamais trop tard pour...

se trouver un don

Certains savent depuis l'enfance en quoi ils sont doués,
d'autres l'ignorent toute leur vie.
On a pourtant tous des talents uniques.
Prenez le temps de trouver le vôtre.
Il est peut-être caché ou ne s'est jamais développé.
Mais faites confiance à votre instinct
et donnez-vous la chance de le découvrir.
Il est là, quelque part, en vous.

Les grands artistes ont du talent dans leur hasard
et du hasard dans leur talent.

Victor Hugo

Il n'est jamais trop tard pour...

être honnête

Il arrive qu'on se mente un peu parfois,
que l'on s'osbtine à justifier certains actes
et que l'on refuse d'assumer ses responsabilités.
Mais, au fond de soi, on connaît bien la vérité.
Il y a une voix en vous qui vous le dira :
soyez honnête, soyez juste.
C'est une question de karma.
Si vous êtes juste avec les autres,
ils le seront aussi avec vous.

S'il faut être juste pour autrui,
il faut être vrai pour soi.

Jean-Jacques Rousseau

Il n'est jamais trop tard pour...

tirer parti de ses erreurs

Prenez de la distance et sachez repérer les situations
qui se répètent dans votre vie.
Quand les mêmes problèmes reviennent,
c'est souvent parce que l'on commet
les mêmes erreurs.
Observez vos comportements et identifiez ceux
qui reviennent souvent pour pouvoir les changer.
Sachez tirer parti de votre expérience.

La sagesse est fille de l'expérience.

Léonard de Vinci

Il n'est jamais trop tard pour...

avoir l'esprit ouvert

On a tous des idées préconçues.
Elles nous viennent de notre éducation,
de nos expériences, de notre environnement.
Brisez le moule.
Élargissez votre horizon,
laissez entrer la nouveauté dans votre vie.
Soyez ouvert d'esprit.

Les esprits sont comme les parachutes :
ils ne fonctionnent que quand ils sont ouverts.

Louis Pauwels

Il n'est jamais trop tard pour...

se réinventer

Vous êtes ce que vous choisissez de faire de vous,
pas ce que les autres veulent en faire.
Si vous n'aimez pas la direction que vous avez prise,
changez de cap.
Donnez-vous des buts,
à court, moyen et long terme.
Réfléchissez à une nouvelle voie à suivre
et engagez-vous dans cette direction
en conservant toute votre lucidité.

Faut-il attendre d'être vaincu pour changer ?

Proverbe malien

Il n'est jamais trop tard pour...

persévérer

Ceux qui accomplissent de grandes choses
ne sont pas toujours les personnes les plus douées
ou les plus intelligentes.
Ce sont ceux qui n'abandonnent jamais.
L'inspiration n'est qu'un début,
c'est dans l'action que réside le secret des victoires.
Quels que soient les obstacles et les résistances,
quel que soit le temps que ça prend,
allez au bout de vos projets.

Patience et longueur de temps
font plus que force ni que rage.

La Fontaine

Il n'est jamais trop tard pour...

accepter le changement

La seule chose qui ne change pas,
c'est que tout change.
Dans la nature, dans la société,
dans nos relations et dans notre travail,
les choses changent.
Elles changent constamment.
Abordez ce changement avec philosophie,
comprenez qu'il est normal.
Ne luttez pas,
mais adaptez-vous.

L'homme raisonnable s'adapte au monde ; l'homme déraisonnable
s'obstine à essayer d'adapter le monde à lui-même.

George Bernard Shaw

Il n'est jamais trop tard pour...

garder le silence

Le silence peut laisser voir
la richesse qui est en vous.
Parfois, il prépare la place pour la vérité.
Il peut être éloquent,
désarmant, apaisant.
Il peut désamorcer les conflits.
Se taire demande parfois plus de courage que parler.
Le silence peut être plus puissant que les mots.

Parle si tu as des mots plus forts que le silence,
ou garde le silence.

Euripide

Il n'est jamais trop tard pour...

faire le premier pas

Les gagnants ont des projets,
les perdants des excuses.
Prenez l'initiative et fixez-vous des lignes directrices.
Si vous attendez qu'un autre fasse le premier pas,
vous devrez suivre les règles qu'il fixera.
Soyez intrépide et audacieux :
les risques sont plus grands,
mais les chances de gagner aussi.

La fortune sourit aux audacieux.

Virgile

Il n'est jamais trop tard pour...

construire sa chance

Préparez tout du mieux que vous pouvez.
Vérifiez toutes les solutions possibles.
Répétez vos gestes, vos paroles,
anticipez les imprévus.
Consultez votre entourage
et sachez écouter les avis différents.
Pensez toujours à la prochaine étape.
Restez concentré.
La chance sourit souvent
à ceux qui savent s'investir à fond dans un projet.

L'impossible est le seul adversaire digne de l'homme.

Andrée Chedid

Il n'est jamais trop tard pour...

accepter de finir

Toute chose a une fin :
les amitiés et les histoires d'amour,
les étapes d'une vie, les engagements.
Il s'agit de savoir reconnaître la fin et de l'accepter.
Car c'est un triste spectacle que celui d'un champion
trop vieux qui s'accroche au passé,
d'un amour rongé par l'amertume,
d'une vie devenue vide.

Les faibles ne finissent rien eux-mêmes, ils attendent toujours la fin.

Tourgueniev

Il n'est jamais trop tard pour...

bien vieillir

Vous avez l'âge que vous donnent vos pensées,
pas celui que vous prête le calendrier.
Faites de chaque jour un jour nouveau
et refusez de revivre le passé.
Faites des projets pleins d'audace.
Battez vos propres records.
Lancez-vous dans l'inconnu.

On ne suit pas l'avenir, on le fait.

Bernanos

Il n'est jamais trop tard pour...

cultiver quelque chose

Plantez une graine
et regardez-la pousser.
Un arbre, une fleur,
une idée, un espoir,
un amour, un projet.
Prenez-en soin,
admirez ce qui s'épanouit
et félicitez-vous de votre récolte.

Il faut cultiver notre jardin.

Voltaire

Il n'est jamais trop tard pour...

ouvrir les yeux

On passe trop de temps
à tirer des conclusions hâtives
ou à se précipiter sans réfléchir.
Épargnez-vous des soucis en regardant
d'abord autour de vous avant de foncer.
Posez les bonnes questions
et préparez bien vos projets.
Ne vous contentez pas de simples suppositions,
allez voir ce qui se cache derrière les évidences.

Un esprit lucide est un cran de sûreté.

Sahar Khalifa

Il n'est jamais trop tard pour...

sourire à un enfant

Le sourire d'un enfant compte
parmi les plus beaux spectacles du monde.
Il est fait d'innocence, de promesses, de joie pure.
Donnez du temps aux enfants
et consolidez leur foi dans le monde
pour les voir sourire.
Cette vision vous rendra heureux.

Le sourire que tu envoies revient vers toi.

Proverbe hindou

Il n'est jamais trop tard pour...

lire les notices

Peut-être n'y viendrez-vous
qu'en dernier recours.
Peut-être trouvez vous qu'un mode d'emploi
diminue singulièrement la valeur de votre réussite,
qu'il est une insulte à votre intelligence.
Mais n'oubliez pas qu'il pourra au final
vous donner la clef du problème.

Il n'y a pas de problème, il n'y a que des solutions.

Gide

Il n'est jamais trop tard pour...

trouver son âme

Tout le monde en a une.
Certains essaient de la cacher ou de l'ignorer.
Mais elle est bien là, qui attend,
tapie au plus profond de vous.
Elle attend votre permission
pour pouvoir vous guider.
Laissez-la faire.

Le rêve est la nourriture de l'âme comme les aliments
sont la nourriture du corps.

Paulo Coelho

Il n'est jamais trop tard pour...

faire un compliment

Un compliment est un geste qui touche,
surtout si l'on ne s'y attend pas.
C'est de la bienveillance qui s'insinue dans nos vies,
réchauffe le cœur de celui qui félicite,
encourage celui qui reçoit le compliment.
C'est une parole féconde qui nous enrichit,
et nous permet de tisser des liens plus forts
avec ceux que nous aimons.

C'est ne pas payer ses dettes
que de refuser de justes louanges.

Voltaire

Il n'est jamais trop tard pour...

écouter les enfants

Car ils savent certaines choses.
Ils sont loin de tout savoir,
mais ils connaissent des choses fascinantes.
Vous pouvez apprendre tellement de vos enfants,
des choses sur eux, sur vous, sur la vie.
Souvenez-vous : est-ce que ce n'était pas énervant,
quand vous étiez enfant,
et que personne ne vous écoutait ?

Quand les sages sont au bout de leur sagesse,
il convient d'écouter les enfants.

Bernanos

Il n'est jamais trop tard pour...

dire ce que l'on pense

C'est plus simple, plus honnête,
et cela évite les malentendus.
Vous gagnerez le respect en montrant vos opinions.
On préfère parfois tourner autour du pot
pour se soustraire à la confrontation
ou ne blesser personne.
Mais quand vous croyez en quelque chose,
dites-le franchement et défendez vos convictions.

L'esprit lasse aisément si le cœur n'est sincère.

Boileau

Il n'est jamais trop tard pour...

accepter les compromis

Rien n'est tout noir ou tout blanc,
le monde est souvent fait de nuances de gris.
Il y a des points de vue différents
et différentes manières de se mettre d'accord.
Dans ce que vous entreprenez, il n'y a peut-être pas
une seule voie pour arriver au bout :
il vous faudra peut-être faire des concessions.
Gardez l'œil fixé sur votre but
mais sachez adapter votre voyage aux circonstances.

Mon exigence pour la vérité m'a elle-même enseigné
la beauté du compromis.

Gandhi

Il n'est jamais trop tard pour...

travailler pour soi

Imaginez la liberté et l'indépendance que vous pouvez
gagner à travailler pour vous !
Commencez par envisager toutes les solutions
possibles et tracez votre propre route.
N'attendez pas d'y être forcé.
Décidez vous-même de votre projet
et passez à l'acte.

Qu'une chose soit difficile doit nous être une raison de plus
pour l'entreprendre.

Rilke

Il n'est jamais trop tard pour...

grandir

Allez de l'avant, chaque jour.
Profitez de toutes les occasions d'apprendre :
profitez de vos erreurs,
de votre expérience,
des conseils que vous recevez,
de ce que vous observez.
Sortez de votre zone de confort
et explorez de nouveaux domaines.
Rencontrez des gens nouveaux,
laissez-vous surprendre.

La croissance ne s'effectue pas de bas en haut,
mais de l'intérieur vers l'extérieur.

Kafka

Il n'est jamais trop tard pour...

aimer chaque nouveau jour

Le soleil se lève toujours sur des possibilités infinies,
des défis innombrables,
des espoirs encore informulés.
Ne laissez pas le passé vous entraver,
mais tournez-vous vers l'avenir,
avec optimisme.
Inventez-vous un futur tout neuf.

Je crois au présent, j'espère en l'avenir.

Edmond Rostand

Il n'est jamais trop tard pour...

lâcher prise

Pour voyager léger sur les chemins de la vie,
il faut savoir se défaire de ce qui pèse sur nos épaules
et qui s'accroche à nos chevilles.
Laissez tomber
les valises inutiles, les regrets,
les rancunes, les haines,
les jalousies, les vengeances.
Sortez-les de vous
et vous marcherez ainsi d'un pas plus léger.

Qui s'embarrasse à regretter le passé
perd le présent et risque l'avenir.

Quevedo

Il n'est jamais trop tard pour...

trouver l'équilibre

L'équilibre, c'est un peu comme la classe :
c'est difficile à définir, mais on le reconnaît
au premier coup d'œil.
Cherchez l'équilibre dans votre vie professionnelle,
et dans vos relations.
Trouvez l'équilibre avec votre famille,
dans vos passions... et dans votre assiette.
Autour de vous, les autres le verront
et le reconnaîtront.

La vie, c'est comme une bicyclette, il faut avancer
pour ne pas perdre l'équilibre.

Einstein

Il n'est jamais trop tard pour...

écouter son corps

Écoutez votre corps, car il vous parle.
Donnez-lui l'occasion de se faire entendre.
Apprenez à connaître les signes,
à écouter vos sensations,
à comprendre les messages,
bons ou mauvais.
Respectez la voix de votre corps.

Nous ne sommes pas seulement corps, ou seulement esprit ;
nous sommes corps et esprit tout ensemble.

George Sand

Il n'est jamais trop tard pour...

faire des économies

Commencez petit :
mettez de côté la petite monnaie,
passez à la loupe les petites dépenses.
Faites ensuite un budget
et examinez vos dépenses.
Décidez de ce qui est essentiel pour vous
et finissez-en avec le gaspillage.
N'ayez pas de scrupules à faire travailler votre argent,
car vous travaillez assez dur pour le gagner.

Le plus riche des hommes, c'est l'économe ;
le plus pauvre, c'est l'avare.

Chamfort

Il n'est jamais trop tard pour…

apprécier la musique

Il y a une bande originale pour chacun de nous.
Laissez les mélodies s'emparer de votre cœur,
et les rythmes vous entraîner tout entier.
Votre cerveau peut se reposer
pendant que votre cœur s'élance.
La musique nous sert à tout :
elle nous calme,
enflamme nos passions,
nous fait voyager
et ravive nos souvenirs.

La musique donne une âme à nos cœurs
et des ailes à la pensée.

Platon

Il n'est jamais trop tard pour...

repousser ses limites

Nous avons tous nos limites ;
presque toutes sont des illusions.
Elles viennent de nos peurs,
de nos réflexes de sauvegarde,
voire de notre paresse.
Mettez les vôtres à l'épreuve
et allez au-delà de ce que vous croyez possible,
par tout petit pas, en allant doucement.
Vous verrez comment elles se déferont d'elles-mêmes.
Apprenez à ne pas leur faire confiance
et soyez fier quand vous réussissez à les franchir.

Plonge dans l'étonnement et la stupéfaction sans limites,
ainsi tu peux être sans limites, ainsi tu peux être infiniment.

Ionesco

Il n'est jamais trop tard pour...

contempler les vagues

Respirez la mer,
sentez les embruns sur votre peau.
C'est une force de la nature qui nous apaise.
Le rythme des vagues n'a pas de fin,
leur puissance est majestueuse.
Contemplez la constance du flux et du reflux,
et comment la houle n'est jamais deux fois la même.
Laissez-vous bercer
et méditez devant ce va-et-vient incessant.

La mer est aussi profonde dans le calme que dans la tempête.

John Donne

Il n'est jamais trop tard pour...

s'efforcer de vivre mieux

Votre histoire, c'est vous qui l'écrivez.
Faites en sorte que chaque nouveau chapitre
soit meilleur que le précédent :
vous n'avez d'autre limite
que celles de votre imagination et de votre volonté.
Vous n'atleindrez pas votre but à chaque fois,
mais si vous n'essayez pas,
vous le manquerez forcément.

Le succès fut toujours un enfant de l'audace.

Edmond Rostand

Il n'est jamais trop tard pour...

pleurer

Parfois ça vous prend par surprise,
vos larmes coulent sans prévenir.
Peu importe le temps passé depuis,
peu importe votre force :
si vous murez en vous une douleur,
elle vous rongera.
Laissez-la s'exprimer,
libérez-vous.

Nous ne devons jamais avoir honte de nos larmes.

Dickens

Il n'est jamais trop tard pour...

écrire

Vos histoires sont uniques.
Votre expérience,
vos points de vue,
vos espoirs, vos défaites,
vos triomphes,
tous ne sont écrits que par vous.
Notez-les, inventez-les.
Écrivez-les.

Rien ne fait mieux écrire que d'écrire sur ce qu'on aime.

Paul Léautaud

Il n'est jamais trop tard pour...

vivre au présent

Nos inquiétudes naissent souvent
de l'avenir qui nous fait peur
ou du passé qui nous hante.
Si vous vivez dans le présent,
elles disparaissent.
En vivant dans le présent, vous vivez tout à fait.
Vos décisions sont spontanées,
votre cœur est ouvert,
votre esprit est libre.

Si on ne s'occupe pas de son présent,
on manque son futur.

Bernard Werber

Il n'est jamais trop tard pour...

changer ses projets

La vie, c'est ce qui arrive quand on est occupé
à d'autres projets.
Nos projets sont des lignes et non des règles.
S'ils ne sont pas adaptés aux circonstances,
changez-les.
La grande affaire, ce n'est pas de savoir prévoir,
c'est de pouvoir s'adapter aux imprévus,
en continuant à sourire à demain.

Pour réussir, il ne suffit pas de prévoir.
Il faut aussi savoir improviser.

Isaac Asimov

Il n'est jamais trop tard pour...

se montrer curieux

La curiosité nous ouvre à de nouveaux possibles.
Quand on est curieux, on est toujours un peu naïf,
un peu enfant.
Être curieux, c'est reconnaître le mystère,
et ne pas s'en contenter ;
c'est vivre avec espoir,
et exister vraiment.
La curiosité ravive notre feu intérieur.
Être curieux, c'est être optimiste.

Je suis né par curiosité. Y a-t-il une meilleure raison de naître ?

Daniel Pennac

Il n'est jamais trop tard pour...

se pardonner

Les critiques les plus sévères viennent parfois de nous,
car nous sommes souvent nos plus durs ennemis.
Ne pas se pardonner, c'est s'imposer des chaînes
qui empêchent de progresser.
Reconnaissez vos erreurs,
profitez d'elles pour apprendre
et décidez de ne pas les répéter.
Vous serez libre d'avancer.

Il faut se pardonner beaucoup à soi-même pour s'habituer
à pardonner beaucoup à autrui.

Anatole France

Il n'est jamais trop tard pour...

faire un vœu

Prenez un instant pour voir la vie dont vous rêvez.
Faire un vœu, ça ne coûte rien.
Les vœux sont nos petits secrets,
un bref voyage au plus profond de nous
qui nous permet de voir plus clair,
d'avoir une image concrète de nos désirs.
C'est le meilleur moyen de les voir se réaliser !

Borné dans sa nature, infini dans ses vœux,
l'homme est un dieu tombé qui se souvient des cieux.

Lamartine

Il n'est jamais trop tard pour...

connaître sa valeur

Personne ne vous connaît aussi bien que vous-même.
Laissez les autres dire ce que vous valez,
mais seulement si vous les estimez
et si vous respectez leur jugement.
Quand vous vous jugez,
soyez objectif.
N'ignorez pas vos imperfections,
mais ne vous sous-estimez pas.
Acceptez et affirmez votre valeur :
autour de vous, tous en feront autant.

La vraie valeur d'un homme réside non dans ce qu'il a,
mais dans ce qu'il est.

Oscar Wilde

Il n'est jamais trop tard pour...

devenir toujours meilleur

Visez haut.
Ne vous contentez pas de l'acceptable.
Comme un sportif, fixez-vous des records à dépasser,
mais n'en faites pas une obsession.
Vos buts sont des points de mire
qui capteront votre attention
et celle des autres.
La vie sera plus vivante,
et de nouvelles opportunités s'ouvriront à vous.

Il faut dépasser le but pour l'atteindre.

Sainte-Beuve

Il n'est jamais trop tard pour...

croire en soi

Cela semble facile,
mais ça demande beaucoup de confiance.
Contre ceux qui doutent et ceux qui décrient,
contre le risque de l'échec et les hésitations,
croyez en vous.
Si vous ne le faites pas,
qui alors croira en vous ?
C'est lorsque vous croyez en vous
que les autres croient en vous.

La confiance en soi fait le sot ;
la foi en soi fait le grand homme.

Victor Hugo

Il n'est jamais trop tard pour...

être satisfait

Il est si facile de se laisser emporter par nos attentes,
de passer sa vie à chercher mieux,
à vouloir toujours plus...
Alors même que nous avons
ce dont nous avons besoin.
Pensez à ce que vous avez,
profitez de votre famille,
de votre santé, de vos amis,
qui sont autant de présents merveilleux.
Et acceptez le plus et le mieux comme un bonus !

D'être content sans vouloir davantage,
c'est un trésor qu'on ne peut estimer.

Marot

Il n'est jamais trop tard pour...

se réveiller

Donnez-vous le signal du réveil :
la vie est si courte !
On s'y perd souvent en hésitations, en rêveries,
mais il n'y a pas de seconde prise
pour les scènes que nous vivons.
Rappelez-vous de la chance que vous avez,
et usez au mieux du temps que vous avez.
Aidez la vie des autres autour de vous,
la vôtre en sera meilleure.

Celui qui sait profiter du moment,
c'est là l'homme avisé.

Goethe

Il n'est jamais trop tard pour...

se faire de nouveaux amis

Ils sont là, quelque part,
ils attendent un échange, une rencontre.
Au soir de notre vie, il nous reste toujours
nos proches, nos amis
et nos souvenirs.
Ouvrez vos cœurs à de nouvelles amitiés :
chacune est une aventure,
le commencement de nouveaux souvenirs.

L'amitié double les joies et réduit de moitié les peines.

Francis Bacon

Il n'est jamais trop tard pour...

braver le temps qui passe

Certains disent que le temps est relatif
et ils ont raison.
Il est relatif à votre manière de le traiter :
faites-en un ennemi
et le temps devient un compte à rebours funeste.
Mais si vous le voyez en ami,
il devient l'occasion de nouvelles explorations,
de nouvelles expériences,
de nouveaux amours,
de nouvelles joies.

Le temps de lire, comme le temps d'aimer, dilate le temps de vivre.

Daniel Pennac

Il n'est jamais trop tard pour...

s'offrir un peu de calme

Nos sens sont émoussés par notre précipitation.
Or nous avons tous besoin de pauses.
Un peu de temps pour réfléchir.
Cela peut paraître du temps perdu,
ou de l'avance donnée à la concurrence,
mais ces moments de calme
permettent en fait de gagner
en énergie et en créativité.

*Le plus haut degré de la sagesse humaine est de se faire un intérieur
calme en dépit des orages extérieurs.*

Daniel Defoe

Il n'est jamais trop tard pour...

s'épanouir dans la maturité

Ne laissez personne vous dicter
les rythmes de votre vie.
Ne laissez personne les dicter à votre place.
Les moyennes sont bonnes pour les statistiques,
mais chaque homme est unique.
Grandissez à votre rythme,
défaites-vous de la pression du temps
et laissez les choses se développer naturellement.
L'important, ce n'est pas d'arriver tôt,
c'est d'arriver.

Le temps mûrit toute chose ; le temps est père de la vérité.

Rabelais

Il n'est jamais trop tard pour...

changer ses habitudes

Les habitudes peuvent être pratiques,
efficaces, voire confortables.
Mais elles peuvent aussi nous limiter,
nous engourdir.
Reprenez la main sur votre train-train.
Mettez de l'aventure dans votre quotidien,
variez vos manières de faire,
essayez des trajets différents le matin,
de nouveaux restaurants le soir.
Partez en vacances là où vous n'allez jamais.
Étendez vos horizons.

Il faut prendre très tôt de bonnes habitudes, surtout celle de savoir
changer souvent et facilement d'habitudes.

Reverdy

Il n'est jamais trop tard pour...

s'amuser

C'est quelque chose qu'on oublie souvent.
Personne n'est trop sophistiqué
ni trop vieux
pour un bon fou rire.
Dites non aux airs guindés,
riez du ridicule et ne vous prenez pas au sérieux !
Tout le monde aime ceux qui savent rire d'eux-mêmes.
Essayez : c'est contagieux...
et très bon pour la santé.

Le vrai snob est celui qui craint d'avouer
qu'il s'amuse quand il s'amuse.

Valéry

Il n'est jamais trop tard pour...

faire ce que l'on aime

Les plus grands esprits travaillent
dans le domaine qu'ils aiment.
Si vous ne pouvez pas faire carrière
avec votre activité préférée,
consacrez-lui au moins le plus de temps possible.
Vous ne verrez pas le temps passer,
vous vous sentirez régénéré,
plein de forces nouvelles.
Ne vous privez pas de ce plaisir,
et montrez un peu ce qui est en vous.

Dans la vie, il faut faire ce qu'on aime et aimer ce qu'on fait.

Christian-Jaque

Il n'est jamais trop tard pour...

simplifier sa vie

On se sent chaque jour un peu plus enlisé.
Souvent, le travail prend le dessus
et envahit notre vie.
L'équilibre est difficile à trouver.
Établissez vos priorités,
sortez-les de l'enlisement.
Ne gardez que l'essentiel,
débarrassez-vous du superflu.
Les choses les plus simples
sont les plus précieuses.

L'essentiel n'est pas de vivre, mais de bien vivre.

Platon

Il n'est jamais trop tard pour...

lire un bon livre

Un bon livre est un des grands plaisirs de la vie.
Partez en voyage,
changez-vous les idées,
découvrez de nouveaux mondes,
remontez le temps ou devinez le futur.
Laissez les pages vous inspirer
ou vous poser des défis.
Et partagez vos lectures.

La lecture est une amitié.

Proust

Il n'est jamais trop tard pour...

voir ce qui est bon

Trop souvent, on cherche à voir les imperfections,
les faiblesses, les mauvaises intentions.
Changez de point de vue et voyez le bon côté des gens.
Faites appel à ce qui est positif en eux.
C'est quand on cherche la bonté qu'elle apparaît.
Beaucoup de gens veulent faire preuve de bonté,
mais n'osent pas.
Donnez-leur l'occasion d'être bons.

Je traite avec bonté ceux qui ont la bonté ; je traite avec bonté ceux
qui sont sans bonté. Et ainsi gagne la bonté.

Lao Tseu

Il n'est jamais trop tard pour...

vivre en explorateur

La vie est un voyage,
une odyssée merveilleuse,
mais certains ne font que tourner en rond,
perdus dans leur routine.
Sortez de l'ornière,
devenez un explorateur.
Essayez de nouvelles voies,
de nouvelles choses.
Découvrez les chemins de traverse !

Si tu veux progresser vers l'infini, explore le fini
dans toutes les directions.

Goethe

Il n'est jamais trop tard pour

être fort

Pas besoin d'être autoritaire
ou arrogant
pour être fort.
Soyez fort dans vos convictions,
dans votre amour,
dans vos amitiés.
Soyez fort comme la pierre des fondations,
stable et équilibré,
et vous pourrez dépasser vos limites.

Le fort fait ses événements, le faible subit
ceux que la destinée lui impose.

Alfred de Vigny

Il n'est jamais trop tard pour...

partager le mérite

On est toujours tenté de s'attribuer le mérite,
surtout quand il est justifié.
Mais le partager peut être plus valorisant :
c'est une récompense,
un encouragement,
un investissement pour demain.
Et la gloire partagée a souvent de plus beaux reflets !

On ne jouit bien que de ce qu'on partage.

Madame de Genlis

Il n'est jamais trop tard pour...

chercher des opportunités

Cela semble évident mais, très souvent,
à cause de la pression,
à cause de la précipitation
ou simplement par négligence,
on se concentre si bien sur le but
qu'on oublie de voir les occasions qui se présentent.
Restez vigilant pour saisir ce qui se présente.

Un pessimiste voit la difficulté dans chaque opportunité,
un optimiste voit l'opportunité dans chaque difficulté.

Churchill

Il n'est jamais trop tard pour...

imaginer

Notre plus grand atout est notre imagination.
Ses pouvoirs sont pour ainsi dire illimités,
et très souvent inexploités.
Avec de l'imagination,
on peut créer des mondes nouveaux
et améliorer ceux qui existent ;
on peut vivre les rêves les plus fous
et rêver nos vies les plus passionnées.
Votre imagination n'a pas de règles ni de limites.

L'imagination est plus importante que le savoir.

Einstein

être responsable de soi

Rejeter la responsabilité sur les autres
est une solution de facilité.
On n'y gagne aucun mérite
et on donne aux autres un pouvoir sur notre vie.
Un jour ou l'autre, il nous faut décider pour nous.
Assumez vos actions,
vous vous sentirez plus libre.
Reprenez les rênes de votre vie.

Être libre signifie avant tout être responsable
vis-à-vis de soi-même.

Mircea Eliade

parler en public

Au premier abord, c'est intimidant,
alors procédez par étape.
En premier, maîtrisez votre sujet
(c'est l'élément essentiel),
puis organisez vos pensées.
Entraînez-vous, d'abord tout seul,
puis avec un ami.
Si vous parlez d'un sujet qui vous intéresse,
il y a de grandes chances que votre public
s'y intéresse aussi.

Pensez deux fois avant de parler
et vous parlerez deux fois mieux.

Plutarque

Il n'est jamais trop tard pour...

attendre l'aurore

L'aube est pleine de beauté, de joie,
de promesses pour les jours à venir.
Elle restaure notre énergie.
Elle nous donne de nouvelles perspectives,
et du temps pour les examiner.
Imprégnez-vous de son éclat,
de sa chaleur,
et songez aux possibilités de ce jour nouveau.

Même si le coq ne chantait pas,
l'aurore viendrait.

Proverbe afghan

Il n'est jamais trop tard pour...

se souvenir

Nos souvenirs sont un trésor,
un album photo vivant.
Tous les moments importants sont là,
même ceux qu'on a enfouis.
Prenez le temps de parcourir votre mémoire,
suivez le fil de vos souvenirs,
imprégnez-vous des joies
et des moments difficiles.
Et, chaque jour, créez de nouveaux souvenirs !

Rien n'est plus vivant qu'un souvenir.

Federico Garcia Lorca

Il n'est jamais trop tard pour...

étudier encore

Cela n'implique pas forcément de retourner à l'école,
obtenir un nouveau diplôme,
s'inscrire pour une période précise, à un cours précis.
Étudiez tout simplement la vie,
étudiez ce qui vous fascine.
Apprenez à faire des choses nouvelles,
et perfectionnez les aptitudes que vous avez.
Explorez le monde des savoirs.

Ne te laisse pas distraire par les événements extérieurs. Prend
le temps d'apprendre quelque chose de bon et cesse de papillonner !

Marc Aurèle

Il n'est jamais trop tard pour...

apprécier ses succès

Trop souvent, une fois l'objectif atteint,
on le considère comme acquis.
Nos victoires font pourtant partie de nos parcours.
Il ne faut pas négliger le mérite que l'on gagne :
on risquerait d'oublier le sens de nos actions.
Célébrer ses victoires,
c'est prendre des forces pour continuer
et récolter les souvenirs qui nous inspireront demain.

Le succès est un état d'esprit. Si vous voulez réussir,
commencez par penser à vous en tant que gagnant.

Joyce Brothers

Il n'est jamais trop tard pour...

se battre par amour

Si au plus profond de votre cœur
vous savez que ça vaut la peine de vous battre,
alors battez-vous.
Parfois vous êtes le seul
à savoir ce qui est juste.
Et même si vous échouez,
vous aurez la satisfaction
de savoir que vous avez fait de votre mieux.
Vous ne pouvez pas faire plus.

Tout l'univers obéit à l'amour ;
aimez, aimez, tout le reste n'est rien.

La Fontaine

Il n'est jamais trop tard pour...

rester jeune

Cela ne veut pas dire lutter contre le temps.
On doit tous grandir et se développer
et tous on prend de l'âge,
mais on peut rester jeune de cœur et d'esprit.
Voyez le monde à travers les yeux de votre jeunesse.
Aimez avec un cœur neuf.
Retrouvez l'émerveillement des premières fois,
posez un œil nouveau sur vos proches
et sur le monde qui vous entoure.
Réjouissez-vous de ce qui vous attend.

La jeunesse, c'est quand on ne sait pas ce qui va arriver.

Henri Michaux

Il n'est jamais trop tard pour...

prendre les commandes

Quand le moment viendra, vous le saurez.
L'occasion se présentera :
vous serez le plus compétent,
le plus expérimenté.
Saisissez l'occasion,
vous vous le devez à vous-même.
Suivez votre intuition
et prenez les choses en main.

Un meneur est un homme qui sait adapter les principes
aux circonstances.

Général Patton

Il n'est jamais trop tard pour...

rebondir

La fortune sourit à ceux qui savent rebondir.
Certaines mauvaises passes semblent durer,
mais elles font partie du cycle des choses.
Soyez persistant, voilà le secret.
Gardez confiance.
Il faudra du temps, probablement,
mais vous repartirez bientôt
avec plus de forces que jamais.

Un héros est une personne ordinaire qui trouve la force de persévérer
en dépit d'obstacles écrasants.

Christopher Reeve

Il n'est jamais trop tard pour...

éprouver de la compassion

Même quand la vie vous sourit,
et que vous voyagez dans le plus grand confort,
soyez ouvert aux douleurs de ceux qui souffrent.
Faites un geste vers eux.
Cela peut sembler peu de chose,
mais la compassion restaure l'espoir,
et nous rend meilleur.

Tout est vain sauf la bonté.

Alexandra David-Néel

apprendre à respirer

C'est la fonction la plus élémentaire du corps,
et pourtant on respire souvent mal.
Détendez-vous,
sentez vos poumons se gonfler, se vider.
Prenez conscience de votre souffle,
qui vous calme déjà.
Inspirez lentement,
sentez l'air vous emplir d'énergie.
N'hésitez pas à vous faire aider
sur la voie d'une respiration plus calme.

En te levant le matin, rappelle-toi combien précieux est le privilège
de vivre, de respirer, d'être heureux.

Marc Aurèle

Il n'est jamais trop tard pour...

apprendre à demander

Si vous ne demandez rien,
vous n'avez rien.
N'attendez pas des autres
qu'ils sachent ce que vous voulez,
ce dont vous avez besoin.
Ne leur en voulez pas de ne pas vous aider
si vous ne leur demandez rien.
Soyez raisonnable, et juste,
mais soyez clair.

Donne tant que tu as. Quand tu n'as plus rien, demande.
Donne à d'autres l'occasion de te faire du bien.

Lanza del Vasto

Il n'est jamais trop tard pour...

faire avancer les choses

À toutes les périodes de l'histoire,
il y a eu des personnes qui ont fait avancer les choses
en agissant concrètement.
Vous aussi, vous pouvez apporter votre pierre,
contribuer à changer le monde, aider les autres.
Essayer simplement, c'est déjà gratifiant.
Vous en serez honoré,
et parfois même remercié.

L'homme doit agir le plus possible car il doit exister le plus possible
et l'existence est essentiellement action.

Leibniz

Il n'est jamais trop tard pour...

être libre

On construit souvent nos prisons,
des cages pour notre esprit,
des chaînes pour notre cœur.
La clef pour les ouvrir est en nous,
il suffit de vouloir vraiment l'utiliser.
Libérez votre esprit,
prenez vous-même vos décisions.
Sortez votre cœur et votre âme de leur prison
et soyez libre d'aimer, soyez libre de vivre.

Être esclave de soi est le plus pénible des esclavages.

Sénèque

Il n'est jamais trop tard pour...

manger moins

Souvent, on mange par habitude,
et parce qu'on en a l'occasion.
Si vous voulez manger moins,
trouvez une bonne raison :
alors, tout prendra sens.
Fixez-vous des buts réalistes,
et les récompenses qui vont avec.
Faites-vous confiance
et gardez le cap.

Il faut manger pour vivre,
et non vivre pour manger.

Molière

Il n'est jamais trop tard pour...

aimer son travail

Il est parfois exaltant,
et parfois monotone.
Mais tout dépend le plus souvent
de notre manière de voir les choses.
Alors, cherchez les points positifs.
Tout métier possède une part de noblesse ;
traitez le vôtre avec le respect qu'il mérite
et vous en tirerez du respect pour ce que vous faites.

J'aime ce qui est dans le travail
l'occasion de se découvrir soi-même.

Conrad

chanter

C'est une force de vie.
On chante dans la joie comme dans la peine,
dans l'espoir comme dans la détresse,
dans la prière, dans la passion.
Chanter peut alléger nos fardeaux,
et exalter nos plaisirs.
Au-delà du langage,
la musique touche notre âme.

Pourquoi philosopher alors qu'on peut chanter ?

Brassens

Il n'est jamais trop tard pour...

trouver la paix

Personne ne peut vous empêcher de trouver la paix,
sauf à tout faire pour qu'on vous en empêche.
Ne vous laissez pas intimider par les obstacles
qui vous privent de la sérénité.
Écartez-les fermement.
Si vous ne pouvez rien faire pour l'instant,
arrêtez de penser à ce qui vous préoccupe.
La paix vient de l'intérieur,
trouvez-la en vous-même.

Le bonheur n'est pas le fruit de la paix,
le bonheur c'est la paix même.

Alain

Il n'est jamais trop tard pour...

montrer son savoir-faire

Nous avons tous des talents et des compétences,
bien plus d'ailleurs que nous ne l'admettons,
aux autres comme à nous.
Il vous a fallu du temps pour apprendre,
alors ne négligez pas vos savoir-faire,
ne les laissez pas se perdre.
Soyez-en fier, sachez montrer
ce que vous savez faire.

Pour avoir du talent, il faut être convaincu qu'on en possède.

Flaubert

Il n'est jamais trop tard pour...

partager son expérience

C'est un partage qui est sa propre récompense,
car vous recevez autant que vous donnez.
Dispensez la sagesse que vous avez acquise,
surtout quand elle aide à calmer les douleurs.
Soyez généreux de vos connaissances.
Dans cet échange,
vous gagnerez beaucoup.

On n'enseigne pas ce que l'on sait ou ce que l'on croit savoir :
on enseigne et on ne peut enseigner que ce que l'on est.

Jaurès

Il n'est jamais trop tard pour...

laisser les autres vivre

Chacun voit le monde avec des yeux différents.
Il n'y a pas une seule bonne manière
d'aborder les choses.
La bonne manière est simplement
celle qui nous convient.
Décidez pour vous-même,
et laissez aux autres la même liberté.

L'égoïsme ne consiste pas à vivre comme on en a envie,
mais à demander aux autres de vivre comme on aimerait vivre.

Oscar Wilde

Il n'est jamais trop tard pour...

vider ses placards

Cela peut être une aventure formidable,
qui nous donne des forces nouvelles.
Entreprenez ce grand ménage
comme un voyage dans le temps,
et l'occasion de jeter du lest.
Il peut vous donner l'idée de nouveaux projets,
vous aider à prendre un nouveau départ.

Trente rayons convergent au moyeu,
mais c'est le vide médian qui fait marcher le char.

Lao Tseu

Il n'est jamais trop tard pour...

donner son sang

Voilà un symbole puissant,
le don de la vie.
C'est en notre pouvoir de donner,
et c'est une affirmation de notre humanité.
C'est un don d'espoir.
Pensez à tout le bien
que vous pouvez faire par ce geste.

C'est lorsque vous donnez de vous-même
que vous donnez réellement.

Khalil Gibran

Il n'est jamais trop tard pour...

aimer sans condition

L'amour peut nous libérer,
mais peut aussi nous enfermer.
Un amour durable, c'est un amour sans condition,
dans lequel on peut grandir.
Il nous laisse libre,
et libre de faire des erreurs,
mais aussi libre de pardonner.
Un amour sans condition,
c'est un amour sans limites.

Qu'aime l'amour ? L'infinité.
Que craint l'amour ? Des bornes.

Kierkegaard

Il n'est jamais trop tard pour...

changer d'avis

Affirmez ce en quoi vous croyez,
argumentez, décidez,
mais sachez faire preuve d'ouverture d'esprit
et de souplesse.
Envisagez la possibilité que vous ayez tort,
qu'il y ait une meilleure solution.

Un fanatique est quelqu'un qui ne veut pas changer d'avis
et qui ne veut pas changer de sujet.

Churchill

Il n'est jamais trop tard pour...

couper la télé

Rappelez-lui qui c'est qui commande.
La télévision est là pour vous détendre,
vous instruire, vous informer.
Mais pensez aussi à l'éteindre.
Ignorez-la.
Remplacez-la par quelque chose d'autre.
Allez vous promener,
écoutez de la musique,
lisez, parlez.

Je trouve que la télévision est très favorable à la culture. Chaque fois que quelqu'un l'allume chez moi, je vais dans la pièce à côté et je lis.

Groucho Marx

Il n'est jamais trop tard pour...

rester maître de ses choix

Écoutez vos proches,
informez-vous,
puisez dans l'expérience des autres.
Cela pourra vous aider
à confirmer votre point de vue.
Mais prenez seul les décisions qui vous concernent,
choisissez vous-même votre voie,
soyez responsable de votre vie.

Le jardinier peut décider de ce qui convient aux carottes,
mais nul ne peut choisir le bien des autres à leur place.

Sartre

Il n'est jamais trop tard pour...

admirer un papillon

Laissez-vous toucher par leur beauté surprenante,
l'éclat de leurs couleurs, leur élégance.
Leurs parcours sont imprévisibles,
et ils semblent flotter sur le monde.
Étonnez-vous de leur fragilité insoumise.
Admirer un papillon
peut nous rendre plus sensible
à la grande variété des beautés de la nature.

Pense à toutes les merveilles qui t'entourent,
et sois heureux.

Anne Frank

Il n'est jamais trop tard pour...

s'enthousiasmer

Notre vision du monde influence les autres,
et surtout ceux qui nous estiment.
Manquer d'enthousiasme peut parfois les décourager.
Restez passionné par la vie,
et par la vie des autres.
Vous trouverez une énergie nouvelle,
et vos joies seront plus grandes.
Vos pensées seront plus dynamiques,
et plus ouvertes.

C'est un signe de médiocrité que d'être incapable d'enthousiasme.

Balzac

Il n'est jamais trop tard pour...

compter les étoiles

Loin des lumières des villes,
on les voit mieux briller.
Elles nous rappellent notre place dans l'univers.
Elles nous parlent d'espoir,
d'optimisme,
de ce qui nous dépasse dans le monde,
du potentiel infini de la vie.

Ce n'est que quand il fait nuit que les étoiles brillent.

Churchill

Il n'est jamais trop tard pour...

suivre son intuition

Apprenez à entendre ce que vous dit votre intuition,
ses certitudes viscérales,
ses convictions profondes.
On se laisse trop souvent influencer.
Apprenez à faire confiance en vos intuitions,
elles viennent de ce que vous avez vécu,
de ce que vous avez observé.
Tirez-en profit.

C'est avec la logique que nous prouvons
et avec l'intuition que nous trouvons.

Henri Poincaré

Il n'est jamais trop tard pour...

penser plus grand

Élargissez vos horizons,
voyez plus loin que vos limites habituelles.
Voyez le monde dans un cadre plus grand.
Pensez à la prochaine étape,
aux conséquences et aux répercussions.
Les possibilités deviendront évidentes,
votre motivation sera manifeste,
de nouvelles perspectives apparaîtront.

Une fois qu'on a passé les bornes,
il n'y a plus de limites.

Alphonse Allais

Il n'est jamais trop tard pour...

revoir de vieux amis

Ce sont nos trésors,
notre lien avec le passé,
nos refuges dans la tourmente.
Ils nous rendent plus solides.
Ils nous rappellent qui nous sommes,
créent les liens de notre vie,
nous aident à rester entier.

Un véritable ami est le plus grand de tous les biens
et celui de tous qu'on songe le moins à acquérir.

La Rochefoucauld

Il n'est jamais trop tard pour...

respirer au grand air

Ça nous rapproche de la nature,
nous rappelle une vie plus simple,
loin du vacarme des villes,
sans stress ni pollution.
Une vie où les voisins se parlent,
où le ciel est lumineux,
où les étoiles brillent vraiment.

L'amour pour la nature est le seul qui ne trompe pas
les espérances humaines.

Balzac

Il n'est jamais trop tard pour...

espérer

L'espoir est une des forces de nos vies.
Ne perdez jamais espoir.
On sait bien que la vie suit des cycles,
que des jours meilleurs arriveront bientôt.
L'espoir nous aide à lutter quand tout semble perdu,
il nous guide dans les ténèbres.

C'est quand on n'a plus d'espoir qu'il ne faut désespérer de rien.

Sénèque

Il n'est jamais trop tard pour...

trouver la beauté

Elle est dans tout ce que nous voyons.
Elle vient parfois briller devant nous,
et d'autres fois reste voilée.
Cherchez la beauté profonde et intime
dans l'équilibre de la nature,
dans l'esprit des hommes.
Trouvez-la dans l'amitié,
les belles pensées, la grâce de l'amour.

Il y a autant de beautés qu'il y a de manières habituelles
de chercher le bonheur.

Baudelaire

Il n'est jamais trop tard pour...

être humain

On cherche souvent la perfection
et on désespère de ne pas la trouver.
Il y a pourtant de la noblesse
dans toutes les facettes de notre humanité :
dans nos luttes comme dans nos victoires,
dans nos échecs et nos imperfections.
On peut chercher à devenir parfait.
Demandez-vous cependant si l'être vraiment
est si plaisant que cela.

C'est une perfection de n'aspirer point à être parfait.

Fénelon

Il n'est jamais trop tard pour...

tisser des liens

Que ce soit avec un ami perdu de vue
ou une personne presque inconnue,
franchissez ce qui vous sépare.
Allez à la rencontre de leur monde intérieur ;
renouvelez vos liens anciens
ou tissez de nouvelles relations,
trouvez des intérêts communs,
explorez de nouvelles passions.

Pour ami, sept verstes ne font pas un détour.

Proverbe russe

Il n'est jamais trop tard pour...

trouver son rythme

Quand vous trouvez l'équilibre,
vous le sentez au fond de vous :
toutes les facettes de votre vie
s'accordent harmonieusement.
Vos pensées sont plus précises,
votre corps devient vif et léger,
vous êtes plus fort, plus courageux.
Cherchez cette harmonie.

Ce que nous appelons bonheur consiste dans l'harmonie
et la sérénité, dans la paix de l'âme.

Thomas Mann

Il n'est jamais trop tard pour...

apprendre une autre langue

C'est le premier pas vers de nouvelles aventures :
l'occasion de voir le monde avec des yeux nouveaux,
de découvrir des terres inexplorées,
des cultures différentes,
de rencontrer des inconnus.
C'est l'occasion de vous ouvrir au changement,
de questionner vos habitudes,
de dépasser vos frontières.

Chaque langue voit le monde d'une manière différente.

Federico Fellini

Il n'est jamais trop tard pour...

voir la vie en rose

Voilà un parti pris bien intéressant :
choisissez de voir le bon côté des choses.
Voyez ce qui fait sourire plutôt que grimacer,
attardez-vous sur l'amour plutôt que sur la haine,
sur la bonté plutôt que sur l'amertume,
sur l'espoir plutôt que sur la peur.
Laissez les jours sombres derrière vous,
et les ombres ne viendront plus gêner vos pas.

Tout le monde sait bien qu'après tout,
la vie est souvent jolie quand on la prend du bon côté.

Charles Trenet

Il n'est jamais trop tard pour...

habiter sa maison

Imprimez votre personnalité dans votre maison.
Investissez de l'amour dans vos murs.
Donnez à votre logis un peu de vous-même :
vos couleurs, vos photos,
vos objets favoris.
Vous en serez mieux accueillis,
et vos amis aussi.

Le maître doit faire honneur à sa maison,
et non la maison au maître.

Cicéron

Il n'est jamais trop tard pour...

mettre à jour ses talents

N'ayez jamais peur de faire l'effort
de rester au goût du jour.
Votre savoir-faire peut grandir constamment,
alors ne le laissez pas se reposer.
Ses fondations vous soutiennent,
faites-les croître, partagez-les
et profitez du savoir des autres.
Tirez parti de votre expérience
mais pensez aussi à la renouveler constamment.

Le difficile n'est pas d'apprendre ce qu'on ne sait pas, c'est
d'apprendre ce qu'on sait.

Jacques Salomé

Il n'est jamais trop tard pour...

dire merci

Ça demande peu d'efforts,
et c'est pourtant si important.
Dites merci même si c'est un peu tard,
et pensez-y du fond du cœur en le disant.
Soyez généreux en remerciements :
ils mettent du baume au cœur,
entretiennent les amitiés
et consolident les amours.

Il faut toujours remercier l'arbre à karité sous lequel on a ramassé de
bons fruits pendant la bonne saison.

Ahmadou Kourouma

échouer

On ne fait pas de progrès sans échec
et pourtant la peur de rater nous paralyse.
Accordez-vous la possibilité de ne pas réussir.
Les gens qui réussissent
échouent aussi plus souvent qu'ils ne gagnent,
mais ils sont persistants.
Un échec, c'est toujours une meilleure probabilité
pour une réussite au prochain essai.

Le succès c'est d'aller d'échec en échec
sans perdre son enthousiasme.

Churchill

Il n'est jamais trop tard pour...

aller de l'avant

Quand vous restez sur place,
en fait vous reculez,
parce que le monde vous passe devant.
Gardez les yeux rivés sur le futur,
visez haut,
soyez persévérant :
allez de l'avant.

Quand tous les individus s'appliqueront à progresser, alors
l'humanité sera en progrès.

Baudelaire

Il n'est jamais trop tard pour...

être distingué

Vivez avec distinction.
Vivez vos victoires comme vos défaites,
avec élégance.
Soyez gracieux ;
donnez plus que vous ne prenez,
et félicitez plus souvent que vous ne critiquez.
Ayez la noblesse de votre bonté.

Je ne connais d'autre marque de supériorité que la bonté.

Beethoven

Il n'est jamais trop tard pour...

aimer la vie

Pensez au plaisir d'être vivant
et accordez-vous des moments de plaisir,
c'est à vous de le décider.
Vous pouvez vivre totalement,
ou rouiller lentement sur place.
Vivez le meilleur de vous-même.

Aime la vie et la vie t'aimera. Aime les gens et les gens t'aimeront.

Arthur Rubinstein

Il n'est jamais trop tard pour...

connaître ses limites

On se donne souvent des limites
par précaution, par peur, par habitude.
Testez vos limites,
voyez ce qui les justifie,
essayez de les dépasser,
puis franchissez-les.
Laissez-vous alors envahir par l'ivresse.

C'est notre lumière, pas notre ombre, qui nous effraie le plus.

Nelson Mandela

Il n'est jamais trop tard pour...

tenir parole

Votre parole ne se rompt pas,
ne se contourne pas.
Ne promettez pas
si vous ne pouvez donner,
et donnez toujours
quand vous avez promis.

Mieux vaut mille refus qu'une promesse non tenue.

Proverbe chinois

Il n'est jamais trop tard pour...

penser

Très souvent, on ne pense pas.
Ou plutôt on agit d'abord, et on pense après.
Prenez le temps de penser.
Évitez d'être distrait,
concentrez-vous.
Passez les problèmes au crible de votre esprit,
évaluez les conséquences,
et planifiez vos actions.
Soyez toujours préparé.

Il faut agir en homme de pensées
et penser en homme d'action.

Henri Bergson

Il n'est jamais trop tard pour...

faire une chose formidable

Ne sous-estimez pas votre potentiel,
et ne rabaissez pas la valeur de vos talents.
Les plus grandes réussites naissent de la persévérance.
Croyez en vous, avec persistance.
Quand les autres abandonnent, continuez.
Quand vous faiblissez,
ne perdez pas espoir,
et sachez rebondir.

L'extraordinaire se trouve
sur le chemin des gens ordinaires.

Paulo Coelho

Il n'est jamais trop tard pour...

être ponctuel

C'est une preuve de respect,
et l'occasion de prendre le temps d'observer,
de se libérer de la pression,
de calmer ses nerfs,
de s'organiser,
et de réussir.

L'exactitude est la politesse des rois.

Louis XVIII

Il n'est jamais trop tard pour...

dire non

Si la décision est importante,
dites-le avec fermeté.
Réfléchissez-y,
parlez-en,
décidez.
Et défendez votre non.

On est jeune tant que l'on sait dire non.
Premier oui, première ride.

Henri Jeanson

s'émerveiller

Ayez un regard innocent.
Laissez vos yeux boire le monde.
Sachez voir le mystère dans la nature,
dans ceux qui vous entourent.
Méditez.

Le monde ne mourra jamais par manque de merveilles
mais par manque d'émerveillement.

Chesterton

Il n'est jamais trop tard pour...

finir ce qu'on a commencé

Même si c'est long, même si c'est difficile,
reprenez votre ouvrage.
Adoptez une perspective différente,
faites-vous aider.
Tant que votre projet n'est pas achevé,
poursuivez-le.
Une fois terminé, savourez votre liberté,
puis passez à autre chose.

Les faibles ne finissent jamais rien eux-mêmes,
ils attendent toujours la fin.

Tourgueniev

Il n'est jamais trop tard pour...

vivre aujourd'hui

Il n'y a de sûr que le jour présent,
les lendemains ne sont jamais garantis.
Prévoyez l'avenir,
mais vivez au présent.

La vraie générosité envers l'avenir
consiste à tout donner au présent.

Camus